정자체 ②

갈꽃 권숙희 쓴

한글서예

(주)이화문화출판사

차 례

□ 정자체 시조

● 가벼운 가을바람에〈한용운의 코스모스〉······ 1

● 꽃소식 앞장서서〈이희승의 매화〉············ 2

● 길가에 수양버들〈피천득의 사랑〉············ 3

● 낙동강 빈 나루에〈이호우의 달밤〉············ 4

● 내가 입김을 불어〈정완영의 초봄〉············ 5

● 내 벗이 몇이나 하니〈윤선도의 오우가〉······ 6

● 남향 따스한 뜰에〈이호우의 시조〉············ 7

● 눈내린 한 밤중은〈유안진의 설록차〉········ 8

● 단풍 숲 터진 새로〈정인보의 옥류동〉········ 9

● 대실로 비단짜고〈한용운의 우리 님〉········ 10

● 두류산 양단수를〈조식의 시조〉·············· 11

● 두멧골 한나절은〈서정봉의 시조〉··········· 12

● 들국화 피인 곳에〈이광수의 시조〉··········· 13

● 맑고도 넓은 개울〈정인보의 만폭동〉········ 14

● 머언산 청운사〈박목월의 청노루〉··········· 15

● 멀고먼 서법의 길〈이미경의 서법의 길〉······ 16

● 묵향이 번져나고〈박영식의 시조〉··········· 17

● 문창호 고운 살결〈이미경의 조각보〉········ 18

● 바람이 서늘도 하여〈이병기의 별〉··········· 19

● 벌나빈 알리 없는〈이호우의 난〉·············· 20

● 봄물보다 깊으니라〈한용운의 사랑〉········ 21

● 봄바람 흐르는 연두빛〈갈꽃의 꽃잔치 글씨잔치〉··· 22

● 분홍색 회장저고리〈신석초의 고풍〉········ 23

● 빗발도 스쳐가고〈정완영의 시조〉··········· 24

- 빛나는 파란 잎새〈이병기의 옥잠화〉 ········ 25
- 사흘 와 계시다가〈정완영의 부자상〉 ········ 26
- 산속에 핀 도라지 꽃〈유경환의 도라지꽃〉 ··· 27
- 산안개 물안개가〈정완영의 춘천 가는 길〉 ··· 28
- 산은 산대로 앉고〈정완영의 청추에〉 ········ 29
- 살구꽃 핀 마을은〈이호우의 시조〉 ··········· 30
- 솔바람 일어선다〈정완영의 대금산조〉 ······ 31
- 송아지 몰고 오며〈김상옥의 사향〉 ··········· 32
- 십년을 경영하여〈송순의 시조〉 ·············· 33
- 어버이 살아신제〈정철의 훈민가〉 ··········· 34
- 엄마야 누나야〈김소월의 엄마야 누나야〉 ······ 35
- 우리 아버지는〈정완영의 아버지〉 ··········· 36
- 장다리 노란 꽃밭〈정완영의 진도〉 ··········· 37
- 진정한 인생의 성공〈김성기의 글〉 ········ 38
- 짚방석 내지마라〈한석봉의 시조〉 ··········· 39
- 차라리 찾지 말고〈정완영의 금강산〉 ········ 40
- 찬서리 눈보라에〈김상옥의 백자부〉 ········ 41
- 청명한 햇살 속에〈김상묵의 처음빛 사랑〉 ··· 42
- 청산은 어찌하여〈이황의 시조〉 ·············· 43
- 청자빛 하늘 열고〈이월수의 목련〉 ··········· 44
- 태산이 높다 하되〈양사언의 시조〉 ··········· 45
- 펼쳐든 불단풍에〈정완영의 구룡폭포에서〉 ··· 46
- 푸르른 날 햇살 아래〈갈꽃의 아름다운 날〉 ··· 47
- 푸른 강 맑은 물이〈오동춘의 들국화〉 ········ 48
- 푸른 하늘로〈조지훈의 마음의 태양〉 ········ 49
- 흰 구름 푸른 내는〈김천택의 시조〉 ········ 50

□ 정자체 갈꽃시조

● 가을 ···················· 52

● 감 ···················· 53

● 강촌에 와서 ···················· 54

● 꽃다지 ···················· 55

● 꽃밭 소묘 ···················· 56

● 구곡폭포에서 ···················· 57

● 구룡령을 넘으며 ···················· 58

● 국화차 ···················· 59

● 그대 있음에 ···················· 60

● 내 마음 ···················· 61

● 내 사랑은 ···················· 62

● 너의 미소 ···················· 63

● 눈 오는 날 ···················· 64

● 동백꽃 ···················· 65

● 들국화 ···················· 66

● 들길 따라서 ···················· 67

● 먹을 갈며 ···················· 68

● 모란꽃 소수서원 ···················· 69

● 무궁화 ···················· 70

● 바닷가에서 ···················· 71

● 박꽃 피는 밤 ···················· 72

● 백합 ···················· 73

● 벚꽃 잔치 ···················· 74

● 별하늘 바라보며 ···················· 75

● 봄이 오는 길목에서 ···················· 76

● 봉숭아 ……………………… 77

● 북한강을 지나며 ……………… 78

● 사군자 ……………………… 79

● 사모곡 ……………………… 80

● 새해 새아침에 ………………… 81

● 산빛에 물빛 실어 ……………… 82

● 산수유에게 …………………… 83

● 삼악산 가는 길 ………………… 84

● 상국 ………………………… 85

● 설악산을 오르며 ……………… 86

● 수련이 있는 풍경 ……………… 87

● 아름다운 날 …………………… 88

● 억새풀 축제 …………………… 89

● 연적에 물 실으며 ……………… 90

● 옥가락지 ……………………… 91

● 옹기전에 와서 ………………… 92

● 장미와 구름 …………………… 93

● 참사랑 ……………………… 94

● 철쭉제 ……………………… 95

● 청죽 ………………………… 96

● 청평사 다녀와서 ……………… 97

● 초록반지 ……………………… 98

● 춘란 ………………………… 99

● 한매 ………………………… 100

● 홍초 ………………………… 101

□ 정자체 시조

가벼운 가을바람에 나부끼는 코스모
스 꽃잎이 날개냐 날개가 꽃잎이냐
마도 너의 혼은 접인가 하노라

한용운의 코스모스

갈꽃

꽃송이 앞장서서 눈속에 피는고야 창
밖에 서린 향기 달빛에 묻어 들어 맑고
도 깔끔한 넋이 방안 가득 번지네

이희승의 시조를 씀 갈꽃

길가에 수양버들 오늘 따라 더 푸르고

강물에 넘친 햇빛 물결 따라 반짝이네

임 뵈러 가옵는 길에 봄빛 더욱 질어라

피천득의 사랑 갈꽃 권수희

낙동강 빈나루에 달빛이 푸릅니다

무엇이 그리운 밤 지향없이 가고파서

쪽배는 금빛노을에 배를 맡겨 떠납니다

이호우의 달밤 길꽃 권숙희

4

내가 입김을 불어 유리창을 닦아내면 새

한 마리 날아가며 하늘빛을 닦아낸다 내

일은 목련꽃 찾아와 구름빛도 닦으리

정완영의 초봄 갈꽃 권숙희

내 벗이 몇이나 하니 수석과 송죽이라

동산에 달오르니 긔 더욱 반갑고야 두

어리 이 다섯밖에 또 더하여 무엇하리

윤선도의 오우가 갈꽃 권숙희

6

남향 따스한 뜰에 꽃이 랑과 일 심어두
고 강섶 풀밭에 오리도 기르면서 오
지너로만한 폭 그림같이 살자오

이호우의 임이여나와 가자오 갈꽃

눈내린 한밤중은 설록차를 마실 시간

옥잔에 흘러드는 대닢 푸른 숨결 고독

도 그 얼마나 호강스런 향기인가

유안진의 설록차 갈꽃 권수희

단풍숲 터진새로 누워넘는 어여쁜물

저절로 어린무늬 겹친사와 어떠하니

고요한 이산골속이 더깊은듯하여라

정인보의 옥류동 갈꽃 권수희

대실로 비단 짜고 솔잎으로 바늘 삼아만

고 청청수를 놓아 옷을 지어 두었다가 어

뜨머해가 차거든 우리님께 드리리라

한용운의 우리님 갈꽃 권수희

10

두류산 양단수를 예듣고 이제 보니도

화 뜬 맑은 물에 산영조차 잠겼어라

희야 무릉이 어디오 나는 옌가 하노라

조식의 시조 갈꽃 권숙희

11

두멧골 한나절은 산새도 잠들었나

풀잎실바람도 안기어 잠이들고

머리 있고 없는 듯 흰구름이 조으다

서정방의 시조 갈꽃 권수희

12

들국화 피인 곳에 시내울어 예노매라

허리 굽으려 마시오려 하을 적에 물가

두 달빛 넘치오니 중추월인가 하노라

이광수의 시조 갈꽃 권수희

맑고도넓은개울몇폭포롤얼려온고
들어선아람들이기우신양더예롭다
골바람지났건마는숲은아즉울려라

정인보의 만폭동 갈꽃 권숙희

머언산 청운사 낡은 기와집 산은 자하산

봄눈 녹으면 느릅나무 속잎 피어나는 열

두 굽이를 청노루 맑은 눈에 도는 구름

박목월의 청노루 갈꽃 권숙희

멀고 먼 서법의 길 가도 가도 끝없어라

지름길 따로 없어 한 골로만 모는 채찍

외로운 발자국마다 버 모습이 찍힌다

꽃들이 미경님의 서법의 길 갈꽃

묵향이 번져나고 풍로에는 차가 끓고
잎이 흔들리면 남루시름벗어지고 마음
도 또 흐미우면 청산나는 학이다

서예실에서　갈꽃 권숙희

문창호 고운살결 햇살마저 눈부신방

색형겊한잎 두잎 꽃잎인양 너무곱다

가을별 나들이 인가 방안가득 드들려

꽃뜰 이미경님의 조각보 갈꽃

바람이 서늘도 하여 뜰앞에 나섰더니서
산머리에 하늘은 구름을 벗어나고 산뜻
한초사을 달이 별과 함께 나오더라
가람이병기의 별 갈꽃 권수희

별난 알리없는 깊은 산골을 가려 안

으로 다스리는 청자빛 맑은 향기 종이

에 물이 스미듯 미소같은 정이여

이호우의 난 갈꽃 권수희

봄물보다 깊으니라
가을산보다 높으니라
달보다 빛나리라
돌보다 굳으리라
사랑을 묻는 이 있거든
이대로만 말하리

한용운의 사랑 갈꽃 권숙희

21

봄바람 흐르는 연두빛 꽃잔치는 무르익

고을은 뭇새떼 묵향속에 영글어가는 세월

우리말 이끄는 매무새 우리글씨 궁체여

꽃잔치 글씨잔치 갈꽃 권숙희

분홍색 회장저고리 남끝동 자주고름

긴 치맛자락을 살며시 치켜들고 치마

밑으로 하얀 외씨버선이 고와라

신석초의 고풍 갈꽃 권숙희

빗발도 스쳐가고 바람결도 잠이들고

녀뜰 풍경소리도 멎고만 있습니다 오

늘은 우리집 감나무속잎 피는 날입니다

정완영의 감나무속잎 피는날 갈꽃

24

빛나는 파란 잎새 파란 대공 하이얀 꽃

꽃마다 둥글둥글 오비녀 꽃아 놓은 듯

이아니 아름다우랴 이름또한 옥잠화

이병기의 옥잠화   갈꽃 권수희

사흘와 계시다가 말없이 돌아가시는 아

버지 모시두루막 빛바랜 흰옷자락이 웬

일로 제 가슴속에 눈물로만 스밉니다

정완영의 시조 갈꽃 권수희

산속에 핀 도라지 꽃 하늘빛이 물들었다

옥색치마 여민 자락 기다림에 젖어있네

비취이슬 눈썹미에 고운 햇살 입맞추네

유경환의 도라지꽃 갈꽃 권숙희

27

산안개 물안개가 골골마다 젖어 들어차

창에 기대앉아 나도 따라 젖노라면 이 길

이 만 리면 좋겠네 천 년이면 좋겠네

정완영의 춘천 가는 길 길꽃

산은 산대로 있고 물은 물대로 흘러라 장
마가신 먼 하늘에 구름마저 나부끼면 고
향은 건들매 속에 자리자리 물들겠다

정완영의 청추에 갈꽃 권숙희

29

살구꽃 핀 마을은 어디나 고향 같다만

나는 사람마다 등이라도 치고 지고 뒤

집을 들어서면은 반겨 아니 맞으리

이호우의 살구꽃 핀 마을 갈꽃

솔바람 일어선다 갈대 바람다 눕는다면

들녘비워두고 긴 강물은 흘려두고 가을

밤달밝은 하늘에 기러기떼 보낸다

정완영의 대금산조 갈꽃 권수희

31

송아지 물고 오며 바라 보던 진달래도

저녁노을처럼 산을 둘러 펴질 것을 어

마씨 그리운 솜씨에 향그러운 꽃지짐

김상옥의 사향 갈꽃 권숙희

십년을 경영하여 초려삼간 지여내니

한간달 한간에 청풍한간 맡겨두고

은들일데없으니 둘러두고 보리라

송순의 시조　갈꽃 권수희

어버이 살아신제 섬길일란 다하여라

지나간 후면 애닯다 엇지하리 평생에

고쳐 못할 일이 이뿐인가 하노라

정철의 훈민가 갈꽃 권숙희

엄마야 누나야 강변살자 뜰에는 반
짝이는 금모래빛 뒷문밖에는 갈잎
의노래 엄마야 누나야 강변살자

김소월의시 갈꽃 권숙희

우리 아버지는 우리 집의 산이시다 뜰에

서면 뜰이 가득 방에 앉으면 방이 가득 아

버지 불러만 봐도 높고 푸른 산이시다

정완영의 아버지 갈꽃 권숙희

36

장다리 노란 꽃밭 파란 이랑 구름
도 풀어 놓으면 풀을 뜯는 양떼어라 휘파
람 한 번 만불어도 찰찰 넘칠 넘바다여

정완영의 진도 갈꽃 권수희

진정한 인생의 성공은 건전한 정신과 성실한 생활을 실천하려고 노력하는 사람만 성취할 자격을 갖는다

김성기의 진정한 인생 갈꽃

짚방석 내지마라 낙엽엔들 못앉으랴
솔불 혀지마라 어제진달 돋아온다
아희야 박주산챌망정 없다말고 내어라

한석봉의 한 정가   갈꽃 권숙희

39

차라리 찾지말고 구름속에 묻어둘한

사흘 뻗고오니가슴이 리허 전하다 꿈이

란 꿈으로 두어야 더 아득할 저 금강산

정완영의 금강산 다녀와서 갈꽃

찬 서리 눈보라에 절개 외려 푸르르고

바람이 절로이는 소나무 굽은 가지

제 막백학 한 쌍이 깃을 접는다

김상옥의 백자부 갈꽃 권숙희

41

청명한 햇살 속에 두 가슴 하나 되어 영
원히 마르지 않을 사랑의 샘 솟아 뭐쳐
음빛 사랑 그대로 행복하게 타올라라

김상욱의 처음빛 사랑 갈꽃 천수희

청산은 어찌하여 만고에 푸르르며
유수는 어찌하여 주야에 긋지 아니는고
우리도 그치지 마라 만고상청하리라

이황의 시조 갈꽃 권숙희

청자빛 하늘 열고 사르르 여민 순 청실

바람 불어와도 터져버릴 순결인데 그

눈빛 환한 모습에 넘쳐오리 사랑은

이월 수의 목련   갈꽃 권수희

44

태산이 높다 하되 하늘 아래 뫼이로다
오르고 또 오르면 못 오를 리 없건마는
사람이 제 아니 오르고 뫼만 높다 하더라

양사언의 시조 갈꽃 권숙희

펼쳐든 물단풍에 떨쳐입은 흰 구름에 유

산가한 마당이 질펀하게 쏟아진다 구천

어매 달린 물줄기 만이천봉흔든다

정완영의 구룡포구포에서 갈꽃

푸르른 날 햇살 아래 계절 따라 꽃 피우며

알알이 맺힌 추억들 세월의 강 넘나들며

먼 하늘 물든 노을 더욱 곱고 맑아라

갈꽃 시도 아름다운 날 권숙희

47

푸른 강 푸른 물이 한결 같이 동아서 찬

서리 다 이기고 홀로 지리 굳게 서서가

늦엔 모닥불 사랑 밝은 누리 산나오

오동춘의 들국화 갈꽃 권수희

48

푸른하늘로푸른하늘로항시날아오르
는노고지리같이맑고아름다운하늘을
받들어그속에높은넋을살게하자

조지훈의마음의태양 갈꽃

49

흰 구름 푸른 내는 골골이 잠겼는데

풍에 물든 단풍 꽃도곤 더 좋아라 천공

이 나를 위하여 뫼빛을 꾸며내도다

김천택의 시조 갈꽃 권숙희

□ 정자체 갈꽃시조

뒷서리 자우룩이 국화밭에 앉는 날은

잠자리 나래깃에 양털구름 실려가고

저만치 비워둔 산자락 물소리가 여원다

갈꽃시조 가을을 쓰다 권수희

천둥에 놀란 감꽃 떨어져 간 그 자리에

노을빛 젖어내려 붉은 감이 익었구나

한 아름 높푸른 하늘을 들어올려 놓았네

갈꽃 시조 감을 쓰다 권숙희

열어 놓은 하늘아래 강마을이 살고 있네

새 소리 울소리며 흘러내린 저 진초록

산빛도 꿈을 꾸는가 새로 듣는 저 낮달

갈꽃시조 강촌에 와서 권수희

54

지난 밤 별자리가 내려앉아 꽃이 됐나

맨발로 밟아가면 흙내음도 묻어나고

봄처녀 설레는 마음 고개드는 꽃봉지

갈꽃의 꽃다지를씀 권숙희

연보라 빛향 뿌리는 들국화 옹담조며 금불조 해바라

기밭쳐드는 푸른하늘 한두릅 스치고 가는 소나기도

소담해 범부채 산옥잠화 꽃등불 켜들었고 흐르는 두

불연지 한잎 가득 꽈리 소리 흰 구름 푸른하늘 울지고

넘는 나비여라

갈꽃 시조 꽃밭소묘 권수희

56

흐르는 구곡폭포 물소리도 으늑하고

점봉산 푸른마루 한 획으로 두른 구름

무르면 대답도 할건가 산봉들이 나선다

갈꽃 시도 구곡폭포에서 권숙희

산마을 고요함에 바람결도 부드럽고 비쳐든 햇살마

저 잡힐듯이다 사룹다 억새꽃하늘거림에 따라나선

흰구름 산구비 돌적마다 단풍숲은 더환하고 기다림

에지쳤는가 허리굽은 고목나무 구룡령우러러 물수

록하늘빛은 더깊어 구룡령을 넘으며 갈꽃

한 모금 가을 햇살 피워 올린 꽃 한 송이

청옥빛 찻잔 속에 꽃술 두엇 남실때고

한 입술 기울인 향기 흰 구름을 적신다

갈꽃시도 국화차 권숙희

봄하늘 빈자리는 목련 꽃이 열고 서고

가을하늘 높은 자리은 행잎에 물드느니

내마음 그대 있음에 사계절이 더고와

갈꽃시도 그대있음에   권수희

가을엔 하늘빛 되어 은행잎을 물들이고 가을엔 여울

물되어 들국화도 피워놓고 가을엔 별하늘 라운하

수로 흐르 리 가을엔 바람이 되어 코스모스 꽃잎 열고

가을엔 단풍잎 되어 맑은 숨결 등에 지고 내 마음 구름

이 되어 푸른 하늘 닦으리 내 마음 같 꽃 권숙희

61

내 눈길 멎는 곳에 흰 구름은 흘러가고

내 손길 닿는 자리 꽃을 피워 일어선 산

붉은 꽃 흰 구름 사이 강물 되어 흐르리

갈꽃시도 내 사랑은 권수희

웃음 짓는 네 모습 쪼스 달로 여겼더니

어느새 아침햇살 점독하는 저 뜰 나무

꽃 피고 열매 맺거라 날로 풍성하거라

갈꽃 시도 너의 미소 권수희

함박으로 퍼붓듯이 쏟아지는 눈꽃송이
퍼주고도 모자라서 사라지는 눈꽃송이
세상일 한품에 들어 서로 단꿈 굽니다
갈꽃시도 눈오는 날 권숙희

봄빛도 춘삼월엔 그리움에 녹아들고

속으로 달인 열정 가지마다 망울쳐서

겹겹이 뜨거운 사랑을 꽃잎으로 감싼다

갈꽃 시조 동백 꽃을 씀 권수희

흐르는 금빛물결 가을들녁 고요하다 실바람은 들림

도 벌레울음에 잔잔함도 보랏빛생각에 실려 하늘대는

들국화 초록이 진다해도 단풍으로 화답하고 파란하

늘 흰구름엔 그리움도 실려오고 연보라 가녀린몸매

적막속에 맴돌아 갈꽃시도 들국화 권숙희

66

들국화 밝힌 곳에 고향생각 어려온다

보랏빛 눈빛속에 포근한 정 더욱 깊고

별빛도 그리움 되어 내 가슴에 내려네

갈꽃 시도 들길 따라서 권숙희

벼룻물에 타는 묵향 맛끝에 도는 향기

곧은 정한 줄기에 꺾어 넘긴 초련가

바람 가락에 실리면 강물처럼 흘러라

갈꽃시조 먹을 갈며 권숙희

68

맑은 빛 맑은 하늘 고여드는 소수서원

열어둔 세월 저쪽 도포자락흔들린다

한떨기 모란이 붉어 이봄밤을 지핀다

갈꽃 시조 모란꽃 소수서원 권숙희

우리얼 고지 넉이 들려오는 숨결속에

피어든 송이마다 흰구름이 일어 쎄고

뿌리로 심어둔 절개는 하늘 받쳐서 있다

갈꽃시도 무궁화 권수희

70

둥근 해가 차오른다 하늘 활짝 열어놓고

흰 구름 입에 물고 갈매기는 날아들고

수평선 열리는 곳에 내 마음도 열리네

길꽃 시도 바닷가에서 권수희

은하수 맑디맑히 물을 퍼는 박꽃마을

골목길 휘어들며 밤은 짖어들고

풀벌레 울음소리에 달무리가 둥근다

갈꽃시도 박꽃 피는 밤 권숙희

한송이 맑은 숨결 밝은 구름 머금은 꽃

해맑은 그 미소가 뜨락 가득 등을 단다

간목 그리운 향기 하얀 꿈이 잠긴다

갈꽃시도 백합 권숙희

소양호 맑은 물이 하늘보다 더 넓은 날

당신의 얼굴빛도 구름결에 얼비치고

꽃과물 푸른 산빛이 내가슴에 안기네

갈꽃시도 벗꽃잔치 권숙희

어두운 밤하늘에 빗금치는 별똥별이

긴 꼬리 끌고 가다 않은 곳이 고향인가

이밤도 산너머 마을은 하수가 흐른다

갈꽃의 별하늘 바라보며 권수희

75

진달래 망울 틔고 목련 꽃은 등을 달고 연두빛하늘아

래 꽃샘바람 흔들린다 발걸음 가벼운 하루 오솔길이

다 열려 햇살 아래 호숫가엔 봄기운이 둘러앉아 나물

캐는 내 손끝에 풀내음을 물들이고 물속에 흘러든 또

로 빛봄 하늘을 흔들고 봄이 오는 길목에서 갈꽃

고운빛 눈이부셔 잎새사이 숨었는가

두고온 고향산천 손끝마다 물이들어

옛생각 아련한 꽃빛이 바람결에 흐른다

갈꽃 시도 봉숭아 권숙희

77

물안개 자욱하게 피어오르는 하늘 아래 한폭의 수묵화로 떠오르는 저 강나루 잔물결 밟고 선 외가리 고향길을 비춘다 행자나무 울타리에 걸려있던 노란 햇살 청술 수표이는 향기 신 그림자 드리우고 노을빛 막막한 하늘에 고향길이 잠긴다 북한강을 지나며 갈꽃

78

찬서리 매운눈발 한몸으로 밟고서서 칠흙같은 어둔밤에 등촉하나 달았

는가 태산을 지고일어선 새벽하늘 별빛으로 부르면 젖어들듯 가슴으로

안기는 것흐르는 맑은향기 방안가득 흔들린다 휘일듯 굽은 몸매는 도로

굽어고아라 한둘기 갈바람이 수무으로가 꾼잎새 긴여름 심복더위이겨

내고 물들었나민 하늘 밝혀든 달처럼 앉은 황국화여 가슴은 비운채

로 잎은어이 푸르러서 바람잡든 그날에도 댓잎소리 수런댄다 한치씩을

러선 댓마디 푸른빛을 세운다   갈꽃시조 사군자 권숙희

79

어머 님 크신 사랑 브름달로 오는 밤은
두고 온 고향마을 숲구품으로 기어들고
그리운 당신 모습이 달무리로 젖습니다

갈꽃시도 사모곡 권수희

아침이슬 풀밭에도 소망의 씨 영그듯이

새날이 삼백예순닷새 등 밝히는 기쁨으로

흐르는 따스한 햇살 꽃잎열고 나오소서

갈꽃의 새해아침에 권숙희

햇살도 아롱아롱 기다림에 타는 단풍고운 님 오시려

나풍물들어 길밝힌다 낮길도 가다가 말고 돌아보는

한늘길 흐르는 저 뱃길에 구름길은 만리인데 열두폭

펼친 병풍산은 첩첩 푸르구나 소양강 물빛은 더 멀고

나울 저리 빛나네 갈꽃의 산빛에 물빛실어 권숙희

그리움에 열린 하늘 걸고 섰던 노란 꽃술

오뉴월 햇살이랑 씨방가득 받아 물고

하늘빛 바람 사이로 물구슬을 달았네

갈꽃 시도 산수유에게 권숙희

흰구름 한 자락이 실려가는 능선 머

산첩첩 가는 길에 또 한세월 그려놓고

실구비 열었다 닫았다 불밝히는 구절초

갈꽃의 삼악산 가는 길 권숙희

한줄기 칼바람이 스무으로 가꾼잎새

긴여름 삼복더위 이겨내고 물들었나

빈하늘 밝혀든 달처럼올라앉은 황국화여

갈꽃시도 상구을쓰다 권숙희

85

한계령 넘는 봄빛 동해 바다 차오른다

우람한 울산바위 구름 위에 솟아 있고

하늘빛 쏟아진 물줄기 비선대도 흔들려

설악산을 오르며   갈꽃 권숙희

86

받쳐든 푸른 잎에 하얀 꽃이 올라 앉아

맑은 물 연못속에 하늘빛이 흔들린다

꽃과 잎이 바람과 햇살나울지어 피었네

수련이 있는 풍경 갈꽃 권수희

푸르른 날 햇살 아래 계절 따라 꽃 피우며

알알이 맺힌 추억들 세월의 강 넘나들며

먼 하늘 물드는 노을빛 더욱 곱고 맑아라

갈꽃시도 아름다운날 권수희

구름결 내려앉아 산바람이 일어서고

산바람 일어서면 억새밭도 일어서고

한껏 절도는핀 하늘빛 뿌려놓은 억새꽃

갈꽃 시조 억새 풀 축제 권순희

물 실린 연적인가 환히 열린 아침 햇살

포근하고 고운 정이 꽃잎처럼 안겨든다

벼루에 따르는 물소리 온몸으로 다 젖어

갈꽃의 연적에 물실으며 권수희

지난밤 언약인가 옥가락지 둥근 사랑

아련한 안개 속에 별이 돋는 정이여라

보름달 푸른 달무리 손가득 담기네

갈꽃 시조 옥가락지 권숙희

얼마나 불에 구이면 흙이라서 옹기 되나

햇살도 맛이들어 장맛으로 익어 갖고

고향집 뜨락에 나앉은 울어머니 초상화여

갈꽃 시조 옹기 전에 와서 권숙희

구름은 하늘이 피워올린 한송이 장미라면

장미는 구름이 흘려놓은 임김이자 맑은 향기

당신은 하늘과 구름나는 한송이 장미라네

갈꽃시도 장미와 구름 권수희

93

제 몸을 사르면서 밝혀 주는 촛불 되어

마음속에 이는 물결 되물아와 꽃밭 되면

더불어 살아가는 길 사랑으로 맺으리

길꽃 시조 참사랑 권수희

두견새 울음소리 산가득히 내려앉아

쏟아진 꽃무지개 철쭉꽃을 피워 놓고

소백산 꽃구름타고 산노을도 타올라

갈꽃시도 철쭉제 권수희

가슴은 비운 채로 잎은 어이 푸르러서

바람 잠든 그 날에도 댓잎소리 수런댄다

한 치씩 올라선 댓마디 푸른 빛을 세운다

갈꽃 시조 청죽을 쓰다 권숙희

가을빛 물든 잎을 찬바람이 몰아가고 마른 낙엽 끌린

자리 등에 지고 누운 산들 노을빛 지다가 말고 도로 설

핏물든다 되돌아오는 길엔 물소리도 나려 접고 연못

속에 붉은 단풍 고인 세월 더 고와라 내 마음 두 고운 청

평사 오봉산도 물들어 청평사 다녀와서 갈꽃

97

그리운 남쪽바다 섬살이는 그 물빛을

비취빛 반지속에 담아들고 오신당신

내마음 한금수평선 둥글게 와 안긴다

갈꽃시조 초록반지 권수희

무르면 젖어들듯 가슴으로 안기는 것

흐르는 맑은 향기 방안 가득 흔들린다

휘일듯 곧은 몸매는 되도굽어 고와라

갈꽃시도 춘란을씀 권수희

찬서리 매운 눈발 한 몸으로 갈서서

칠흑같은 어둔 밤에 등촉하나 달았는가

태산을 지고 일어선 새벽하늘 별빛으로

갈꽃시조 한 매를 쓰다 권숙희

여름은 기우는데 너만 혼자 타는거냐

푸른잎 너울너울 맑은 모습 뽑아 물고

한오리 흰구름 풀어 어깨너머 보낸다

갈꽃 시조 홍조를 씀 권숙희

갈꽃 권 숙 희

- · 꽃뜰 이미경 님 사사
- · 백수 정완영 님 사사
- · 갈물한글서회 이사
- · 갈꽃한글서예원 원장

작품소장
- · 국립한글박물관
- · 세종대왕박물관
- · 백수문학관
- · 한국시집박물관

갈꽃한글서예원

☎(033)251-4524 / 010-8518-4524
24307. 강원도 춘천시 후만로 116번길 11-1

갈꽃 권숙희쓴
한글서예 정자체 ②

2000년 2월 10일 초판발행
2005년 10월 18일 재판발행
2019년 10월 31일 3판발행

저 자 : 권 숙 희
발행처 : ㈜이화문화출판사
발행인 : 이 홍 연, 이 선 화
등록번호 : 제 300-2015-92
서울시 종로구 인사동길 12 (대일빌딩 3층 310호)
전화 (02) 732-7091~3
팩스 (02) 725-5153

정가 15,000원